La Noche Antes

Lom
PALABRA DE LA LENGUA
YÁMANA QUE SIGNIFICA
Sol

Rosenmann-Taub, David 1927 -
La Noche Antes. Cortejo y Epinicio IV [texto impreso]
/ Rosenmann-Taub, David – 1ª ed. – Santiago: LOM
Ediciones; 2013. 238 p.: 16x21 cm.
(Colección Entre Mares)
            I.S.B.N.: 978-956-00-0412-3
            R.P.I.: 225.869
1. Poesías Chilenas I. Título. II. Serie
            Dewey : Ch861.-- cdd 21
            Cutter : R812.

            Fuente: Agencia Catalográfica Chilena

© **LOM EDICIONES**
Primera edición, 2013
ISBN: 978-956-00-0412-3
RPI: 225.869

DISEÑO, EDICIÓN Y COMPOSICIÓN
LOM ediciones. Concha y Toro 23, Santiago
TELÉFONO: (56-2) 688 52 73 | FAX: (56-2) 696 63 88
lom@lom.cl | *www.lom.cl*

Tipografía: *Karmina*

IMPRESO EN LOS TALLERES DE LOM
Miguel de Atero 2888, Quinta Normal

Impreso en Santiago de Chile

DAVID ROSENMANN-TAUB

CORTEJO Y EPINICIO IV

La Noche Antes

COLECCIÓN ENTRE MARES

LOM
EDICIONES

FASTIGIO

I

Nimbos dispersos
en el torbellino
que en mí reposa,
calcinados, mis versos,
sempiterno camino,
levantan, en la luz, su última rosa.

ATMÓS

II

NATURALEZA MUERTA

Un castillo de algodón,
una dama de pastel,
una bruja de clavel,
un edicto de turrón,
un príncipe de madera,
una escalera de cera,
una boda de melón,
una prosapia de rana,
una infancia de manzana,
un mocoso de cartón.

III

DESVÁN

¡ Drástica primavera!

En un jarrón que esconde
sólo bascas de arañas,
los estambres
de unos arcaicos lirios de percal han brotado
intrépidos botones opalinos y puros.

Subí al tablado a aposentar guanacos.
   Aplausos me doblaron.
Mi cuello se estiró – mi varapalo –:
declamé la oración de los ahogados.
   Aplausos me asaltaron,
   a plomo, sepancuantos.
Bailé en un mingitorio, en un pitao,
en una muela – cinturón borracho –:
   serafín navegando.
«¡Otra vez! ¡Otra vez! ¡Al escenario!»

   Estrangulé con lento pulso rápido
   cúmulos de milagros
de bruma, hartándome por largo rato.
   Los focos, perigallos,
sobre mi frac: centella de cascajos.
Mi sandunga rodaba por los palcos,
flagraba en la platea, urdía fardos
   en los balcones, sarros
   en la tertulia. «¡Bravo!»,
aulló el mutismo, taco, taco, taco.

   «Dechichipechipén», el empresario:
«has prolongado un siglo tu contrato.»
Y yo, tristón, fulero, iluso, huraño,
   royéndome los pasos.

¿Dársena? Comedimiento:
se tiene lo que se tiene
hasta que no se lo tiene.
No se lamenta el lamento.
Volubilidad, la Parca,
transigiendo, desembarca.

VI

Emilia.

«Cuando por la obligada soledad
cruzan acérrimos remordimientos,
y por los pasadizos del invierno
los diques de un hospicio echan a hablar

– afluencia enronquecida –, sin querer
me surge musgo
misántropo: nocturno
diluvio. En el cordel

de la entereza, yertos,
los jirones de fiebre. Tímido estiaje, lloro,
perdurando

la brisa de qué rastros.
Cimitarras
de agripnia – monjes de alcanfor –, comarcas,

mis únicos compinches, los golondros.»

VII

Por un resquicio exiguo
se ha colado la risa:
desconocida herrumbre,
pelaje de cosquilla:
    mi primera
carcajada en la tierra,
con más fiera agonía
de fiera pesadumbre,
que mi primer vagido.

Forastero crepúsculo, mi cuarto:
tenorio, derrochando
sus perlas. Cuán marchito,
este nevar sin copos.

Adventicio
sopor en la jofaina:
toldo
raudo

de riñas invisibles. Se encarcela
una arboleda cárdena: mi lecho
modorrea.

Gandujo la persiana.
De añil, el barrio, trémulo,
lueñe, remoto, canta.

Singular temporal, rincón colmado,
entre payayas – fumarolas
tiernas –,
en un baúl, entre azucenas costras,

menaje de repletas
vitrinas – lasitudes –,
benigno, escabechando
frondas de ausencias, dorsos de legumbres,

jarifo, delicioso
como los molinillos de café,
o el trompo en la verdura,

mi corazón, párvulo, umbroso,
entre el enfado
del rapé tensintén

y la decepcionada levadura.

X

Persistes,
consistencia.
Vulnerable,
me oxido hacia la horquilla

de tumefacto
sino:
guante
para esqueleto: cifra

de indefinidos
definidos
rasgos.

Consistencia,
tu títere
persiste.

XI

LA PRESTÍSIMA

Mi favorita bisnieta
se casó
consigo misma.
Invitó a la recepción
a su familia:

a su giba, a su jardín,
a su quiltro, a su vainilla,
a su montón
de tarea
y a su yerma lozanía.

Trizalejo, trizalejo:
¡la humillación que se va!:
llamarada desalá
sobre mi cepellón viejo.
Trizalejo, trizalejo:
¡la humillación que se va!:

fiscal se nos va. ¿No vuelve?
No vuelve, ni volverá:
llamarada desalá,
en quimeras se disuelve:
fiscal se nos va. ¡No vuelve,
ni volverá!

Arrebujarse. No hay más
que sentir frío: morir.
Sucumbiendo, resistir
la nostalgia del jamás.
Arrebujarse. No hay más
que sentir frío: morir.

Mi cobardía regresa
en busca de zancadillas:
espesura en las rodillas,
que me arrodilla y me besa.
Mi cobardía regresa
en busca de zancadillas.

En mi busca, hacia mi cuesco:
cepellón, cadalso fuerte,
añejo para la muerte,
pero para el agua fresco.
Munificencia, mi cuesco:
semilla fuerte

– tributo
del sol, sensato, desnudo –:
Dios en sus palmas, sañudo,
la siembra: ¡pródigo fruto!
¡Semilla fuerte! ¡Tributo
del sol, sensato, desnudo!

Cepellón, semilla dura,
semilla mía, en las palmas
de Dios creces y le calmas
su tortura.
Cepellón, semilla dura,
semilla mía: ¡en sus palmas!

Para dormir, despertar.
Sonochar para dormir.
Sucumbiendo, resistir
la pesadilla del mar,
que no duerme. Descansar.
¡Resistir para morir!

Estruja primicia seca,
Dios: te la doy: amalá:
llamarada desalá,
núbil, hueca . . .
Estruja primicia seca,
Dios: te la doy: ¡amalá!

Se hará carne que es perfume,
se hará perfume que es viento,
se hará viento que es intento
de alcanzar lo que me entume
la carne. ¡Dios! ¡Tu perfume
se hará perfume que es viento!

Trizalejo, cepellón,
derrúmbate en tu descanso:
            Dios es manso,
Dios procura tu sazón:
Dios es recio, libre, manso:
¡siémbralo en ti, cepellón!

Dios es recio, ignaro, manso,
Dios procura tu sazón:
se hará carne que es perfume,
se hará perfume que es viento,
¡se hará viento que es intento
de alcanzarte, cepellón!

Es la hora en que extiendo los míos a mi lado:
sus laboriosas hebras.
Entrecierro los párpados:
el río de los míos se desliza en mis venas.

Una emersión gredosa, trasparente artimaña,
se acumula en las sábanas: sin tangencia la toco,
la regalo sin dones, la aderezo sin ascuas,
y la profundo y sufro sin marjales, sin gozo:

una parranda grave,
una áfona sonaja sacudida, una lápida
con mi nombre: una selva de erosiones invade

mis ahíncos: un eco . . . De un folio de calandrias
relleno las sangrías, escarbo los tatuajes:
abrigadoras planas.

Y me brinco, me azoto,
sin vadearme, de vómer,
titán chongo galápago,
violento prisionero:

feliz garrote flácido:
fatuo petrel glorioso
persiguiendo tumultos de gorjeos lacrados
en un sucio cartel de *algún* circo carroño.

Y para qué contar: aguaito las polillas,
un traspuntín me charla hasta el amanecer,
el piyama me explora con sus clisos en fila,

    el colchón me cercena con su hipócrita tren,
el somier me festeja, serenatas me endilga
      el edredón: begonias en mis pies;

    para qué: lo recitan mi padre, mi *padrastro*,
mi madre, mi *madrastra*, mis mordiscos,
      la altivez de mis chanclos,
mi estatua, mi pocilga, mi ufanía, mi ombligo.

Persevero en uncir la calculada ráfaga
del destino, por ver si se quiebra en mis brazos;
me desciendo, me aúpo, navaja de cizallas:
es la hora en que extiendo los míos a mi lado,

    es la hora en que lidio con los tarugos hoscos
      – en una herida, almíbar –,
es la gruta en que túnel en los terrosos lobos,

    es la pulpa en que nervio en las acometidas,
      la constancia en que indómito,
la pasión en que engullo, la copela en que pimpla

    mi congoja, el vigor con que garfio mis islas,
la acequia del trofeo, la espina más medusa,
      la desolada dicha,
      la nitidez corrupta.

De las turbias candelas
encendidas en húmedas aristas
birlo polainas nuevas
para valvas podridas.

Me rezongan
las piernas, daledale, por divertirlas tanto
con la tremenda gota

– pústula – que, temblando, se empoza en mí, temblando:
esta acritud que ronda
por mi afán: este océano de jrein con que batallo:

es la hora en que extiendo los míos a mi lado,
es la hora en que guío las llagas de mi ardiendo,
es la zarpa cianosis de orvallos
interregnos,

el dosel en que hiedo, la sal en que sudario,
el hisopo en que nunca, la hendedura en que niño,
la fucsia badulaque, la campana de látigos,
el bernegal abúlico de la hecatombe, el grito.

Y me brinco, me azoto, me espejo, me apalanco,
sin vadearme, de vómer:
es la hora en que llamo los míos a mi lado,

es la hora en que hondeo la nada con mis dedos,
la hora en que suplico, la victoria en que oficio,
la serpiente en que vibro, la sombra en que penetro.

SARCASMO

XIV

ÁVOEJ

«Vástago de mí mismo,
padeciendo de filicidio
filia,
Yo, mi víctima.»

Me pinto:
me rehúso:
canapé
profuso.
¿Muy distinto?

Dolchefarniente, el zar
de la flojera,
me notificó
que instalará en mi hangar
aneas:
«¿Fanfarrón?»
Mi vistomalo fue definitivo,
zaricida,

plural.
La pesquisa,
canónica:
¡tambocha!
(Me pinté.)

Nobiliario arestín,
te pringas. Me jabono:
tono de omnipotente desentono
de tu maltemperado clavecín.

XVII

«Acomodándose a su lodazal»,
me facturó una hormiga.

«Purga usté dengue igual.»
«¡Nonono meme diga!»

XVIII

El áspid cacoquimio
sobre el mollar amén.
Los jolgorios postizos:
mi agobio: converger.

XIX

Como la enormidad – triquiñuela del sueño –,
senectud sin edad,
faena sin empeño,
Dios – triquiñuela de la enormidad –
se apronta, en su taller,
a desaparecer.

APOSTOLADO

—¿El retrete?
– Franqueando el corralón,
en la caserna.
– La zupia de un despacho.

    – Absuélvame: a la izquierda.
– Vehículos,
y un granate aparato
de atrición,

    para ejercicios.
– ¡Guillo! El cuajo siguiente.
– ¡Descuacuajo!

    – Me mangoneo: apenas
centenares de meses
en este domicilio.

«Incapaz.»
«Se merecía.»
«¿Con *nosotros*?»
«Prohibido, mencionarlo.»
«¿Quién acudió a su entierro?»
«No yo, qué se imaginan.»

*
* *

Sándalo:
niquiscocio
de régimen selecto:
trago
de parvulez: chirriante
longaniza . . .

*
* *

Incapaz.
Se merecía.
¿Sus estruendos?
Prohibido, mencionarme.
¿Quién acudió a mi entierro?
No yo, qué se imaginan.

XXII

Intacta.

«Mantuve, nueve
lémures,
correspondencia con el pregonero:
abominable,

debo confesártelo:
prejuicios, nunca
juicios.
Y muy imperativo.

¡Descarado!
Deduzco: él no leía
sino sus píldoras:

tupé
más rimbombantes
excusas.

La mitad
de cada esquela suya:
su embajadora firma desleal.
Prefiero no insistir.

¿Útil a Ti?
Cotidiano, un ejemplo
– pudrición –:
Distinguida señora:

No partera:
ponga
fuerza.

Su colaborador,
Gabriel
Angélico.»

La mariposa, con ajuar agraz,
resbalando en el barro:
«Me enmugré toda, menos el ajuar.»

¿Lo enuncio? Me enjareto.
Drenajes, los gladiolos, desde el tarro:
«¡Crápula!» Me guarezco.

Mi abuela, miope, con ajuar agraz,
resbalando en el barro:
«Fallecí toda, menos el ajuar.»

Una lombriz.
Un búfalo.

*
* *

– Pulcro, tu mundo; inmundo, tu sepulcro.
– ¿Te refieres a Mí?

Ultrajado,
me plañe
mi cuaderno:
«La situación

exige que me engarce,
sin complot,
con la vestal cisura de tus dedos.»
«Suspira rudamente

por sus cónyuges.
No deferirá.»
«¿Cuánto,

fino, escrutar?»
«Unos doce
segundos. Peor,

trece.»

Cuca, en la esquina,
Venus: «¿Qué dispones?
¿Trasformación del caldo y los riñones?
¿Guillotina?»

*
* *

Ataúd erudito, ordeno el orden.

«Admito mi orfandad.
Con elegancia,
mi viuda,
vitalicia,
me columpia,
me chamusca las nalgas,
endereza las sillas
y me arregla, esmerándose, el dogal.»

XXVIII

NIHILISMO

«¿Necesario?», replica Lucifer.

XXIX

ENTREPARÉNTESIS

¡Erina!
Sabañón artificial:
rígida hemoglobina.
Lo inmortal
se elimina.

«Mi tienda de sortijas
ció para agolarse; la de pasta
con éxito ció.

Mi tienda de muñecas – *Baratijas* –
se impuso. Mi mujer con Nosegasta,
mi gerente, apeldó.

Distraje a mis seis hijas
con la traviesa Casta,
que fabriqué, peculiarmente, yo.

La muñeca jugó con mis seis hijas
a las muñecas hasta
que, ¡zape!, las rompió.»

(Te ha remplazado, faz,
la mascarilla.)

Cortés iniquidad
de mis cenizas.

XXXII

Un nenúfar musgaño.
¡Pero si ayer un crío!

Me escurro colorado.
Dios es intrascendente montepío.

LÁSER

(Los tizones
del basilisco enano
salvaguardan.)

– Esta pluma, estas gomas, esta máquina:
votivas, circunspectas,
neutras,
irresponsables.

–Expúlselas: podrán,
pues, dedicarse
a friccionar
lavabos.

– Usté sí las conoce.

¿Dónde los sesos para mi combate?
¿Ensartaré arrecifes estratégicos?
Dios lastra, comisorio disparate,
bisabuelos.

　　Perplejidad prudente:
la cínica
medida
sin presente.

＊
＊　＊

　　Fidedigno suplicio, Señor:
en tu costado,
curvándose, el honor

　　de un ingenuo gorila
difamado
por un acatarrado

　　picaflor.

¡Cordilleras leopardas!
Mi prescindible estepa,
con pulgares de seda,
gentil, las despedaza.

XXXVI

ODINOSEA

Cilindro, me aleccionas:
«Heredero
glotón
de avatares:

bautismo:
movimiento
tuyo: plausible manifestación
del veloz estatismo.»

En la baldosa
lápices
me pergeñan infamias invernales.

La claraboya:
cruda, formidable.
¿*David*? Escribo *Nadie*.

– Has procedido bien.
– ¿Vistacitos, entonces, al edén?
– Te los cosechas. Abre *mi* ventana.
– Ya . . . ¿Qué?: ¿esa jamerdana?

Monumental eccema
de rebaños,
me hundo.
Falaz robustez
suave,
me deslíes, jarabe
nauseabundo.
(Pertinente, brindar este poema
a bebés
de cien años.)

XXXIX

MIAU

Jesús me obsequió un disco:
plegaria (o pis)
del gato
de Francisco
de Asís:

«Vilipendiado plato:
sin ración, mi alifara.
¡Cómo te devorara
facha, lumbre y retrato!»

ANGOSTURA

– Gazmoña cicatera escampavía,
perdóname el carmín.
– ¿Tamo? ¿Tarquín?
– Se yanta en Laotravida.

XLI

EUFORIA

La portentosa página:
¡qué lámpara!
Me receto su hollejo.
Tornando a mis bancales,
aliñaré los golfos vapuleos
del desastre.

– Férreas, las vías.
– Un bollo, de mogollón.
– Tus simpatías . . .
Tétrico, a Mí, un sopetón.
– ¿De mogollón?

*
* *

Agrio coctel:
danza
dÉl
con la desesperanza.

XLIII

Carreras. Dinosaurios.
Premiosa, la jornada,
no parásita:
plisé el ogro mantel, duché el teatro.

XLIV

CEFRADO

¿Odiarte para amarte?
¿Maquillando a tus hijos,
acicalar la tierra?

Haz lo que te convenza,
botarate
pulido.

Cristojesús, sereno:
«Me adornan mis beatos y verdugos:
los respeto:
porfiado tahúr público
de ácido desoxirribonucleico.»

«Superior
a la tuya, mi prosodia»,
me afirmó
– fetén – la obtestación
de Su casmodia.

Graduado
directorio
de ostracismo,
conculcas, enalbado,
trásfugo, monolítico, sutorio,
lo mejor: tu sigilo.

Migajas de certeza...

Tradición,
me has servido:
deyectar
zainas trampas,

para caer
en otras – filfas – *mías*.

XLVIII

IRREBATIBLE

«Usurpo más sindéresis
que tú y Él», escarola mi inextremis.

El talismán,
omnívoro,
chamizo,
se acarrea,

   sáxeamente atraído
por la ampulosidad
de sus inapetencias.
«La afeitada»,

   discurrí
(discurrió),
tras dirigir

   hacia mi sien derecha,
servicial, el cañón,
y rascar el gatillo (virgen pieza),

   «qué lástima.»

¿Cuándo
te inhumarás?
Un retorno
sin ida:

tus mondongos.
¿Jamás?
Mazamorra
de ganglios:

rocas.
¿Pálpitos?
¿Recuerdas tu sonrisa?

¿No?
Tampoco
Dios.

CONTINUO ÉXTASIS

LI

EL BRAMIDO

«¡Decídete! Se alojan
en las repisas hueras
de la omisión Mis obras
con franqueza maestra.»

Vaso de abrojos
que se desborda de escasez.
Pira. Bochorno.
¡Vaso de jrein!
Clamó por todos.
Ni Él se escuchó. Clamo por Él.

En la orilla
– perfidia
de arrayanes –,
alma y cuerpo: ¿aferrados
cuando Ella me traspase?

  Contacto
rutilante:
una espuma: un anillo.
Ceñidos por señales
– copular
sacrosanto –,
¿lucharéis en la grieta de la segregación?

  Promontorio de amor
sobredivino,
garras
del cenit,
desgarrándoos:
«¡Sí!»

  ¡Dios, captúrame!: empújame a tu rada
de dominio eseral:
a tu abismo de cumbres. No me importa
transir. ¡Me han respondido!
Cuerpo y alma hostigados por brío que no acaba.
Rompiente triunfadora.
¡Cuerpo y alma, aferrados, en el cuerpo del alma!

LIV

Chispa: vértigo.
Ansiar algo es tenerlo.

MESIÁNICO

«Irrumpí en el pañol
de Suilustreinviolablemajestad
Vidarreal.
"¡Un platelminto! ¡Puaf!"
La extremaunción.»

Actividad: eutimia. Me contentas,
vórtice,
para las herramientas
de mi yo en condiciones.

LVII

LEGAJO

— Centauras,
estornudos,
sables,
precios.
– Azafates,
entuertos,
ánimas,
subterfugios.
– Mercantilismo claro:
a los ochentaitantos me evacué,
a los setentaitantos me extinguí,
a los cincuentaitantos me chivé.
– Raro.
– Las cosas *son* así.

Esa frase
– talvez
la nuez
de un guiño – se complace

– susurro del vacío,
perorata
fugaz,
indehiscente,

fatídica, nonata –
con lo más
loablemente
mío.

Atrofiado, un taled:
«Entre libros, ningún libro.»

Fluctuante, un avestruz:
«Entre dioses, ningún dios.»

Recatada, la luz:
«Entre signos, ningún signo.»

Próvida, *la* pared:
«Entre voces, *una* voz.»

Nómadas, las conciencias,
las galaxias:
las energías
y
las dimensiones.

La perspicua
respuesta
que apaña
– frenesí del frenesí –,
desatándolo, el máterpáternóster.

DESACATO A VIVALDI

Primavera
– momentánea jayana aspiración –,
te ocultas bajo piélagos
de equilibrios radiosos.

(¿Cuál
verano?
¿Cuál otoño?)
Furor

voraz
– invierno –,
ni siquiera

solapas tu angustiado
burdo tronco
poltrón.

EN LAS LAVAS SENSUALES

A través del viscoso aburrimiento,
el banquete de un lago:
mis córneas y tus senos.

Endrinos,
dos relámpagos y dos
relámpagos, fundidos.

*
* *

Áspero cipo blanco . . .
Sumiéndome en granizo
tiznado, sin acceso,
para fruir – alacridad – residuos
de tu esplendor
espléndido,
concateno peñascos.

Carpiéndonos – morral –,
nos cautivamos sin la realidad.
Azaleas
endebles,

tus mandíbulas, lívidas,
me atisban.
Mis mejillas,
irónicas, te muerden.

Apariencia,
rencor, atolondrada
testarudez, pamplina,

panorama
de frustración inmarcesible, tú
deste notú, ¿me beberás? ¡Salud!

LXIV

La genilla de tu mampara
me condujo.
Las espirales de tus muros
me excitaron.
Tu premeditada
pomposidad: taladro.

Me imito:
blasfemables
acrobacias:
vorágines:
vestigio
de biznagas.

—La buhardilla
se abalanza
sobre el alambre
de mi ulmaria.

– Páusate,
nena: en esas brasas
tu adipocira,
sabotaje.

LXVII

¿Granjearemos?
Los trucos mesentéricos.

LXVIII

Vespertino, en el bufete.
Plagas. Bedeles. Patrullas.
El auspicio no me sacia.

Apúrate, galancete:
no capitidisminuyas
mi faccionaria agerasia.

Con una binza de menta,
láudano, hipnal
y canela
te ofreces

al paladar
de la fragua polvorienta,
púrpura,
del antuvión.

¿Champar? Gallardo champar.
¡Mozalbete
bermellón!

Y la luna
huele a menta
en la fragua polvorienta.

Tú: chacoteo con faunos;
    yo: con ninfas.
Coro de jácaras: ambos.

En el azabache estanque
vigilan las maravillas
    (¿tuyas?) mías.

En el estanque azabache
bostezan las aventuras
    (¿mías?) tuyas.

Oh ninfas rinocerontas.
Oh faunos tatarabuelos.
Nuestras muletas recojan
    el deseo.

Oh nupcial adoquín:
ávido alfiletero.

«Vacación»,
la muchacha azuzó:
«fluyámonos: artejos.»

Oh huéspedes
escrúpulos.

Ropas – negligentes
minervas:
esquejes –
sobre las castálidas bateas.

Oh nupcial adoquín:
secuaz decúbito.

«Vacación»,
el muchacho azuzó:
«tuyo.»

Semisiesta: el búho
del orbe, corusco.

Un arduo
matrimonio chilenísimo
me convidó un domingo
– «¿Vienes? ¿Vienes?» –
a comer
en su cama
celeste
(cobrizas, las almohadas).

Y lo pasamos
policromodiáfano.
Solemne, la mujer;
solemne, su marido . . .
Tras chozpos europeos,
aquel araucanísimo domingo,
filosóficos tangos
orientales del África.
Me edulcoraron: «¿Hasta
mañana?»
            «Porsupuesto.»

*
* *

Él se esfumó hace varios marzos;
ella,
hace una antorcha.
Los estrecho en la hortensia
de los chubascos de mi primavera:
livianos
predios
tersos:
nunca sombras.

Providencia
de lúcuma de nácar:
embaucas
mis saetas.

Asusto al vendaval con tus almendras.
Denunciando al lebrel con tus limones,
le quito al arcoíris sus cerezas:
sus resortes.

Mis zunchos,
insolentes:
«Gavilanes.»

«Hacia la tolvanera, por albergue»,
tus muslos,
en el aire.

Las proas
habrán aprendido arraigo
cuando tus labios – sin boca –
liben mi boca – sin labios –.

En este zigzag del día
conformémonos con ser
la demencia de unas briznas:
arullar un arambel.

Cuando mi boca – sin labios –
libe tus labios – sin boca –
habrán aprendido arraigo
las miradas y las órbitas.

LXXVI

Te seduzco:
me desenlijas.
Te acaricio:
me aniquilas.

Me confisco:
te disipas.
Uno sin uno.
Vocal sin sílaba.

En mi pecho,
desobediente instante,
tus latidos
(ángaros – laberintos –
del riesgo
de una playa velamen).

Tú, los míos,
en errante
fijeza inexorable.

FORTALEZA

LXXVIII

El cuento empezó en Echaurren
– recoveco
de un planeta
que *se* descalandrajó –:
sin linderas
un adarve
– como los tús de los yos –.

El cuento
– cuento en un cuento –,
por ser tal, *se* consumió.

LXXIX

¿Ajetreo?
Prestancia
de los rictus
– deshonra –

de mi rabia
– cejar –
ante las vetas vacilantes.
Acaudalado

miedo:
me aseguras
estrofas
siderúrgicas:

encrespado
cogollo de pericia:
lengua encinta.
A tu púa implacable,

familiar,
quisquillosa,
le he entregado
mi espíritu.

Rayos:
tentativas . . .
                Sitial
de probidad,
en mi estuche refugias el espacio.

Mis únicos albedríos,
mis valientes
proveedores de estíos
– gafas, canas: alicientes –,
me custodiáis, padres míos,
como fulgores y dientes.

Entrañar, o carótida, o lactumen,
no durante el recóndito empalago,
sino cuando en el centro de Santiago
de Chile mis puericias se introducen,
entrañar, o carótida, o despecho,
que no existí, ni existiré: es un hecho.

LXXXIII

Una columna como cualquier
otra:
caverna de peldaños.

Me incliné
sin inclinarme (lúcida costumbre),
redimiendo

meros
bártulos:
melcocha

que me aturde.

LXXXIV

HERNÁN

¡No haberte descubierto,
de pequeño, grangrande!
Desoyendo las tumbas,
de grande, pequequeño,
bregaste mal, sin fraude.
Bregaste bien, con culpa.

La escocedura,
dulce,
te quemó la dulzura;
pero te la ha devuelto la amargura
– pretil –: no se escabulle.

«Sublime Antología
Mundial de Poesía.»
Me amparas,
caridad: «¡Si figuraras!»
Trúfame, Parca, si aparezco un día
en esa Antología.

*
* *

«Por ti, la virtud mía.
No salmos danteguetes, ni homería.
Deveraveraveras, poesía.»

*
* *

¿Gasto mi sangre – mi atención: mi aliento –
en tal bocón fracaso
presuntuoso?
¿Medrar coraje a aquel abrazo
tuyo, papá? ¿Atrapar reposo,
enclillado sobre la austera bizarría
de mi disentería,
espetándole, hábil, a mi bulbo: «Lo siento»?

Zurcidos
y barbechos,
los odres de la fárfara.

¿Dónde habitas, David?
La manía de ser
humano entre lo *humano*

te derriba. ¡Prosigue! ¡No te incluyas!
Los ciclos,
magullados,

al cuartel.
Bloqueo de estadísticas, tus bragas.
Tolerante reloj,

tu sayuelo te plancha.
¡Sucesión!
«Diñar», pugna

tu tuétano.
Tu enjundia
se prepara a vivir.

Imprimo en el éter
los actos
– satélites –
de un rombo crucial sin tamaño.

Concibo una avalancha
– penitente aseidad –: mi propia pulla.

Gracia, sin gracia:
me empobreces, elevas y apretujas.

LXXXIX

ALFA

—Tus númenes, tu anís, tu malasuerte,
no cesan.
                    –¿Ni en la muerte?

Baluarte sólido, rendija
– detrito original –, te prometí:

«Adcalendas,
borrón.»

Terca inminencia.

UZIELÍN

A lo más, veinticinco.
Poseedor de un quiosco
en un violáceo callejón distante
de mi distante callejón jaspeado.
Cuánto orgullo hechicero:
«¡Mío!»
«¿Y el alquiler?»
«No mucho.
Siempre
gano.»
Magnate.

Cabriola del plumón, alba del alba.
Melodioso:
«¡La gaceta!» Orinando,
te atusabas.
«¡Al trabajo, al trabajo!»

Te rencontré, bitácoras
después,
en un distante corredor
de tedios
desvalidos.
Me tronché.
Te mimbré las muñecas. Me indagaste
la frente

con tus grumos
de esclavitud: «¡El callejón
jaspeado!»
Yo – gorgoteo –: «El callejón violáceo.»

Abrupto,
lo ideal. No aflojo:
– sedimentos,
ancestros –:
me modulo:
litófago

del archivo omegal
del calendario
– baraúndas,
letargos,
partituras,
nemotecnias –.

Arrojo
la evidencia de un escándalo
dicaz
dentro del ermitaño
bolsillo caracol
de tu chaqueta

– sábado –, Señor.

XCIII

Emanuel de tierra,
vuelas deambulando.

*
* *

«Las guapas lacerias
que tunden mi pábulo
– las compro en tres cinchos,
las revendo en cuatro –,
ah,
te ofrendarán,
hijo mío bueno,
un par
de zapatos.»

*
* *

Los lustros, huyendo,
cómo me han calzado:
se admiran
de tesoro tanto.

El henil se irrita.
Me niega el gusano.
Padre mío bueno:
tarsos,
en tus nidos,
jubilosos pájaros.

Mientras digiero física,
los rastrojos
se ovillan,
alzándose hacia el fondo
de los fondos del fondo:
digiero poesía.

Previsto pindongueo,
me invento: me aproximo.
Pindongueo imprevisto,
me aproximo: ¡me invento!

Ponderando
– bisoño simulacro –
tu curcuncho heroísmo sibilino,
me extirpo
(pergamino
de tu atalaya), filtro
papelero,
en ti: no te perezco.

Cerniendo versos
míos
– porrazos
estelares,

codicilos
de audacia,
dese lienzo
dragontino

que empleo
para aquietar la escarcha
del piano

del follaje
(*nuestro*
fogón paradisíaco) –,

secuestré una corona de oligarcas
asuetos
y corimbos.

Cabal,
te habré de sepultar,
trovo enemigo.

Oh montaña: subir para bajar.
Hacia el erial,
el mar.

Cabal,
trovo enemigo,
me habré de sepultar.

Ni buzón,
ni
fantasma.
¿Baba? ¿Lágrima?

¿Polución?
¿Miasma?
¿Celsitud? ¿Encía?
Nonsinecuá.

¿Mmmh? ¿Por aquí?
Fustigo:
«Sospechaba

que ya
no hurgaría
conmigo.»

Gris
verraquera
bajo tapiz . . .

Rémora jifera.

C

Los versos que decías y no dices:
con alas, ojos sin pupilas.
David, tus retahílas:
con ojos, alas de raíces.

CI

DERMIS

El ringlero, frugal
pretermisión,
me ñangota, zumbándome:
bongó.

Mi madre entre el salón
y la cocina.
Mi padre,
con el diario, en la veranda

desta prosperidad
– argentería
de patrañas –.

*
* *

¿Cráteres
o conciertos?
Los tañidos de duelo.

Diamantino
gramil
– temprana
fibra –

    subyugado por mí,
por un oreo,
por un seto,
por la alondra
vecina del vecino.

    Imán correspondido,
pero cruel, de mi parte,
en osadías bruscas conególatras
chachales:
tamariz

    – fibra
temprana –.

Armonizarme . . .
Clavo
el revés de mi cara: lo destrozo
para sondear, tortuoso
conspirador de gorra y taparrabo,
el anvés del sollozo.

Obelisco
de vísperas: Echaurren:
chiquillos
que se expanden:
faroles áridos:
perfil sin alguien.

HERMANA MÍA

Eva, celosa, dócil, envidiosa:
«Concluir esta vida
para rectificar otra partida,
más dócil, más celosa.»

¿Murria? Malla envidiosa.
¿Celosa? No: esta vida
le otorgó otra partida
con frágil mezquindad bituminosa:

discreta catalepsia.
Sin desgreñar cabello tan nevado,
la nieve de un turbante enajenado

la ha zafado del sol de la epilepsia.
Ni cremas, ni amenazas.
De la envidia, un bemol: mínimas trazas.

CV

EPICANDOR

Lararín, larirán,
larileroro,
mayor que tú, papá, que tú,
mamá,
que Jávele y Jacobo,
que doña Rosa y don Tenaz Delirio,
que Jesús.

¡De fiesta, con vosotros!
El capullo,
lararira, lalere,
nos tirriará los nudos
infinitos.
Senescerá infinitamente.
Nosotros, nunca más.

SOBERBIA

Cálamo
de cilantros
descampados.
Ave, inopes

precoces
holocaustos:
saqueados
monitores.

Ave, himeneos:
bieldos:
copihues – ¡mi desfile! –

que nutrí.
No nací en Chile.
Chile nació en mí.

Oh padres míos,
vadeasteis la zona, sin pavor:
futilidad.
¿Meridiano epinicio?

«Tu expresión
nos oteará: sosiego:
ramo fragante de auroral
llaneza.

¿La tierra?
Gárgaras . . . Nos comprendimos.
Y chancearemos
evocando hileras

de cautelas y nichos.»

¿CIVILIZACIÓN?

CVIII

Curio.

OASIS

CIX

¡Vastedad de lo
obvio!
Tú:
yo:
nosotros:
cuán insólito azul.

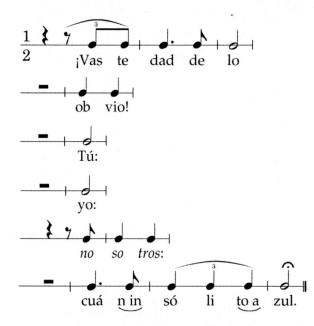

Remolino: confín
de arterias
gamopétalas.

Juntos
Hurivarí.
Ni fechas, ni ciudades. Los firmamentos: humo.

CXI

La abnegación,
atónita: «¿Y el gladiador?»

Mi lógica de grillo,
mi catacumba adolescente,
dentro de la amistad de tu sentido
con lo no accidental de mí, te envuelven.

¿Por cubiles, serruchos?
¿Perennes irredentos?
¿Con Dios,
astuto,
soberano amplexo?
¡Maldición!

CXIV

La aguja de la aguja de la torre
del vínculo.
La testuz de la luz.

Tu lema: tus isósceles
narcisos.
Una peineta parlanchina. Y . . . tú.

Cogí miserias y otras tonterías;
cogí mi espalda y otras tonterías;
traté de asir
mi estómago y no pude;
boté las tonterías;
guardé mi espalda – ¿para qué ocasión? –.

Emancipándome
de los nobles
mejunjes,
del anafe,
me acordé del sudor
– privadas hostias –,

del violín,
de la alfombra,
de ti, de ti,
de ti.
¿Flageladores?
¡Tarde!

Compartir las favilas
de gemelas alcobas: tenacillas
que auxilian.

Oportuno
fulcro de mi razón:
ni multimenosuno,
ni trillón:

coherencia
de la esencia y la esencia:
rumor
de la vertiente

de lo que permanece.
Taumaturgos.
Nuestros.
Lo sabes. Lo sabemos.

Sabia contradicción:
contigo, aliado mío, pero a mí me digo adiós.

Te hallé.
Tras vericuetos,
la confianza.

Sístole. ¿Desnivel?
Pimpantes,
tus arriates.

Mi aonio enjambradero
por sobre dádivas.
¡Mi capitel!

CXIX

Los embelesos
futuros
del ipsofacto pasado,
chabacanos.

Se escinden, colindándose, mis huesos.
Se frisan, escindiéndose, los tuyos.
Arenas con arenas: *un* anzuelo
de pletórica lágrima sin luto.

Dídimos
de *un* huracán,
acaecimos
para trabarnos más.

TECLA

CXX

POSPOSTRIMERÍA

Disimulo mis lazos
con la experiencia
(¿ciencia?):
la trasverberación de los cedazos.

CXXI

—Padrepadre, no aquí, ni yo tampoco.
Según la purria, los alrededores . . .
¡Habernos desnacido!

– Hijo, te reconozco.
También me reconoces.
Desnazcámonos, hijo.

*
* *

– Madremadre,
¿recordarte?:
en mí
más que mi sangre.

– ¿Has venido
para acompañarme?
Hijo,
la sangre con la sangre:

para que me acompañes,
sin ti
emigro.

CXXII

LO ABSOLUTO

Currutaco albollón.

CXXIII

A LA NADA

No me conciernes, aunque te concierno.

En la ofensa jovial de la acechanza
una adusta promesa, de cemento,
riló en la lontananza.

*
*　*

Hacia el eje del fiasco.
Chapotear: un ensayo.

*
*　*

En la noche jovial de la acechanza,
el cielo, de cemento:
su negra lontananza.

Carrusel
que gira, inmóvil, y se detendrá
girando más:
el ser del ser del ser.

BALADAS DE LA VEJEZ

CXXVI

TAJO

Cuando tú,
David,
¡tú!, mi coadjutor,
dimitas,
sin
despedirte

    – constelación,
tarima,
yunque itinerario,
buril
de los buriles,
caos

    infiel,
desvelo, semen,
saliva –: «Agur»,
¿qué he de hacer?
Aconséjame,
porque lo sé.

Una palabra ruega
por sísmico estrambote
– su concisión, enferma,
ante su estéril «¡óyeme!» –.

No la pronunciaré en aquel pupitre;
tampoco en la carpeta del subsuelo;
mucho menos,
en el ventrículo de mi berrinche

de ñeques veteranos.
«¿Enmudecerme?» La he difuminado
en mis débiles pliegos:

fango
con tachaduras de emboscada acerba
y lisonjeros vómitos acerbos.

Paseo
por mí: pingüe terraza.
Devengo:
pirinola: devine:
lo equívoco – guimbarda –
me atormenta: me elige.

CXXIX

Farándula
de irregularidad:
para ignorar tus ignorancias,
escapar.

CXXX

Emplastos
encanijan el craso rol de gozne
con que mis células me provocaron:
helicónides.

Una larva:
«La estría se demora
de por sí. No te asocies a la garza
penumbra: la bazofia,
de guirnaldas.»

Tesón: tambor
del desafío.

Error:
mi malvavisco.

Difícil,
el enojo.
La bilis,
alarmada:
los músculos
de un páramo:
monstruoso terraplén.
Arribé al escritorio.
¿Crisma? Determinar sólo un vocablo:
si *primero* o *primer*. ¡Crisma!: *postrer*.

*
* *

– Tus chalecos
sin uso,
tu bata
de febrero,
tu programa
de junio,
tus oes,
tus acentos,
tus guiones.
– Mi punto.

CXXXIV

Adelántate a *aquello*,
sin tu inicial represa.
De yapa, tu resuello:
lo correcto.

De la fobia tu mesa
no se evade. Se amputa: otro proyecto.

«Trujamán,
socaliña,
pedicoj,
baña, sin atildar,
los gobernantes.»

La cabina
de la postergación:
eficiente salero. Escogeré
– ridiculez –
ambiguos carcamales
enclenques
y rebeldes
que hay *ahí*.

¿Valen – valgo – la pena?
Confraternan
sus escombros cerviz.

Las liendres bellaquean:
– ¡Iletrado!

– ¡Pachurrientas sirenas!
– Senténcialas – encona una cachola.

– ¡Sirenas vergonzosas!
– Bromeábamos.
– Bromeo, pachurrientas.

Didascálicas,
mis zorras parsimonias se derraman
en la banalidad
de legiones de tuercas aplastadas.

Gélido
sapo
– mi halagüeño
pandán –,

alisas los marasmos:
me embucho tu adoquín:
un afufón

prolijo,
tinterillo.
¿Sutil?

Como el dolor.

CXXXVIII

Taimadas,
pusilánimes, feroces,
mis agallas:

«La paliza,
doble,
por rivalidad,
de tus piernas.

Tu escudo fundamental
regocija
las hieles del nodoimás.

¡Indulgencia!»

CXXXIX

El abuelo materno del padre del abuelo
paterno de la madre de mi abuelo materno,
esta mañana, a eso
de las siete:
«No interrumpirte, aunque te indignarán
los motivos. Urgentes.»
Se felpó la nariz, también los herpes,
y, trágica emulsión occipital,
me hociqueó, reduciéndose.

Berreo.
Te vindicas.
Te acusas.
Me defiendes.

Percances
de una oruga.
Pinzas.
Versos.

Me acuso.
Te defiendo.
Llaves.

Hurtos.
Tu elección: crear muerte.
Mi elección: poesía.

Septicemia o corcheas,
el organillo de la medianoche
se arrellana en la flema
de mis harapos: «¡Tósete!»

Ponzoña.
Zalagarda.
Cólera
del julepe: «¿Jaque? Tablas.»

CXLII

La carne, otrora, por mía:
pilar de sed:
fruslería.
¿Pimpollecer para quién?

Ayer, quizá, cumplí seicientosnueve.
Criogenia plena. Hace calor. No llueve.
Podo. Me podan.
Gálbulas. Arenques.

Vitalidad: un dardo
de retrocesos: una mojiganga:
un presagio
palurdo

de casual trayectoria
– burla elástica –: un tubo:
grácil sarna

(de duende sin recursos,
desprendido) a sus anchas.
Hace aflicción. No llueve.

«Aledañismo»,
propicio, Jesucristo.

Imbécil
coral
bledo
de arúspice.

Las equis
gruñen:
«Erres.»
(La alteridad

franjea estas noticias.)
Los guisos, bachilleres,
se resignan.

Mi letanía:
huelga
de secretos famélicos.

Con el bolígrafo del pasado,
castigos plácidos.
He mausoleado una cicatriz:
mi ruta entera.

Puerca,
con la placenta horrenda,
de establecida agenda,
tú, Parca mía, cerca.

Los arroyuelos del porvenir
entre mis pómulos culebrean.
Oh bergantín
de la belleza de la belleza.

CXLVII

Un tercero roe
lo que – repentino
bucle – ocurrirá.

La astilla: mi astilla.
Mi savia: la savia.
Y la cal: la cal.

CXLVIII

Impío hervor bendito,
codicias licuecerme.
Te licueces.
«¿Perdido?»

Me senté en el tualé.
«Doña Verdades: una mentirosa
muy mentiro . . .»
                        ¿Quién habla?, aglutiné.
«Tu silenciosa
fosa.»

Organizar mis restos
– palimpsestos –.

Ante mí, cristalinos
(sin avecillas) trinos.

Regia vicisitud:
césped para el paisaje.
Hielo, el ágape.

Amargoamargo, mi tiramisú.

– Mi persona, de sobra:
esporádica.
           – Adrede.
¡Gestación!
           – ¿Y mi obra?
– Yacerá en la intemperie.

Alfeñique:
sistema:
consentir
en desabastecer

al samarugo atril
que me entrevista:
marco
de lerdos nexos.

Me adiestro: discutírmelo:
melindre
del barítono

motor:
porción
ficticia.

*
* *

¿Incrustarme sin huellas?
¿Nugatorio, apremiándome, gandiendo,
despertando,
mofándome: «Se fue»?

CLII

Rasguños
o caderas.
Componenda: colleras,
plicas, puños.

Lacayo, en medio
de la felonía,
apaciguo el asedio
de una frívola dúctil agonía.

Folletín
gualdrapeado:
dimedirete para permitir
conquistador naufragio.

Canutero:
pistón de estrofas:
bóveda.
Labré mi campo. No lo recupero.

Me fulmino:
«Sácate la camisa,
légamo de chafallos.
Aguinaldo

para tus escotillas
– comparsas cenobitas –,
sácate la ventisca.»
Los golpes, tarambanas,

incoan impregnarme
la percha institutriz,
de miriñaques
– cadenas

petulantes –.
El alma,
remozada,
se protege.

Sin compromiso suficiente,
zarandeas
el hilo,
volantín.

La hamaca, descuajaringada,
me asume
con resolución.

– Inquina vertebral, escuálida,
de bruces.
– Clarímbameló.

Discrepancia: denuedo:
mi viñedo.

Esquivar
eventual derelinquir
que supedita,
cariñosamente

calavernario, lince, a pesar *suyo*.
De voluntad,
un toronjil.
Se empelle

hacia una chusca
dirección ubicua:
litigio: patatús:

hedonista disgusto:
completud
que no dura.

CLVIII

Me he esperado en el fuego.
Me he adorado en efluvios.
Contemplándome, ciego,
me clausuro.

Ineludible crac,
la Grandeva – jazmín . . . –:
– Jeribeques
incrédulos.

   – ¡Cálidamente joven!
– ¿Obsta? La represento.
– Flamante achaque,
¿la vejez no *siempre*

   peripecia senil?
– Desrequisito cómplice.
– Novedad

   mayestática.
– Certificable.
Rancia.

Por azar,
mi sapiencia,
para poblar
piltrafas
de nectarios
– láminas
altaneras –,

trituará estropajos.

Táctica: vil rocío.
Mi filme feneció.
Sobrecargante, la sesión. Papá

jopó.
Mamá, paciencia oronda, pero . . .
Yo todavía asisto.

«¿Hasta cuándo, colega, la efetá
de chambonadas deste cenicero?»,
me sobrecuchichea Jesucristo.

*
* *

Al camión
de mi núcleo, su chofer
– un telón
majadero –:
«¿Pedal
para torcer?»

En el fin del final,
Dios me ilustra: «Me muero.»
¿Sincero, por trivial,
o trivial, por sincero?

(Recesión
– coartada – de eclipses.)

   – Tu armatoste,
Señor,
de cabo a punta.
¿Hasta mi piterpán
desde mi buda,
letame?
De hombre a Hombre:
unas trifulcas ruines,
falsificándome.

   – Una, chorlito, legitimidad.

CLXIII

Vaticinio.

Umbilical
fatiga . . .
Desapegos novicios
– ñoñas

máculas –
criminan,
con hedor
arrepentido,

que los rieles dialogan
acerca
de unas ruedas
atascadas:

«¡Silvestres!
¿Por
llegar?»
«Probablemente.»

Alevosía
verde:
precisión.

«Las circunstancias», ira
– bastón
con olfateo –.

La brocha – su justicia –:
«Orfebres
agoreros.»

CLXV

MENTENCÉFALO

— Inasequible consuetudinario,
de ti dependo. No me has traicionado.
¿Contigo en los pináculos?

– Barruntarlo
te formula lo opuesto.
Me he convertido en afrentoso tiesto.
Mi sermón:
mugrón
precario. He dependido
de tu optimismo.

– Necio
dos.
– Sin nido.

A sabiendas
de que lo inseparable se ha marchado,
de que el glacial zodíaco,
huérfano y escoltado,

¿por qué
no me marché?
¿Bobatel,
acezando?

«Hincapié
de grisú,
persevero:

maleza.
Taperuja sus ritmos:
eviternos.»

¿Cuáles ritmos? Voltean una cruz.

Sencilleces.
Galopes.
Sostener
la cuchara,

cepillarme
los vértices,
la magia
de adularme

las uñas – fe sin fe –:
cuán detectives,
ay.

Lo demás
– imposible –
trepa un borde.

Gestionar
un textual
arpegio: un lío
de fornido aguarrás.

Riguroso atavío.
¿Borujo? ¿Estrella?
Púdico procaz,
premura, empaque mío:

luegoluego te vas.
Lo residual
me ausculta:

«No te irás,
inercia
vagabunda.»

Del turbión
los mosaicos,
hacia preñez, qué várice
de ineptitud, polluelos,
el bosquejo de un patio,
la cabeza
de un rorro empecinado,
la maceta colmena.

Soportar, sinembargo,
hacia la noche, fajos
de aljófares de antaño:
la convulsa
panoplia – mirra,
naipes,
adelfas –,
la hierba de la música.

Gavilla
de linternas:
atarme a los rescoldos,
zambucar,
crepitar:
sesgo
de chimeneas,
hollines bienamados.

Espónjame, retazo
del turbión,
hacia el sótano,
tramos,
el bosquejo de un charco.
Soportar, sinembargo,
las abiertas esclusas:
hacia la noche, entrando.

Escueto forjador
– no terciaré –,
mi andarivel
cizañará pertrechos, aperándose:
la construcción
de una fastuosa nada inagotable.

*
* *

Mi materia:
«¡Recóbrate!»
Me supongo
– me juzgo –

un testigo más amplio
que la retardatriz naturaleza:
sus cacharros
– los cosmos,

pasmarotes,
engarniamente
nulos –
enmohecen.

«¿Te juzgas – te supones – ?»

CLXX

Perpetua primavera
en mi casa desierta,
la luciérnaga, muerta,
brilla de otra manera.

Sin rostro, ni antifaz,
mi padre, sin olvido:
«Podrías haber nuncasucedido.
Siempresucederás.»

Incienso
de limosnas:
guarnición.

Los émbolos
se enroscan . . .
Tejaroz.

Labilidad
incólume,
Jesús, *allí*, en lo inmenso.

– ¿Bruñendo algún final?
– *Algún comienzo.*

*
* *

– Rumbo – poema –,
¿para qué
te he escrito?

– Para que dentro de cienmiltrillones
de siglos,
perquiriéndome, lo sepas.

– ¿Te encontraré?
– Me acabas de encontrar.

Déspota, la oblea
de un oblicuo ciprés:
– ¿Mi número?
                – Quinientostreintaitrés.
–¿Taitrés?
        – Ni la inferior idea.

                *
            *   *

Arrugados,
los vanos
querubes:
            – ¿Pernoctar?
                    – Sin preguntármelo.

CLXXIV

Aspecto,
cobijo
gratitud
por ti.

¿La cobijas *tú*
por mí?
Jactanciosos eructos
– paralíticos ciegos

que se quieren amar –,
flanqueémonos,
al despedirnos,

en la tenebrosidad
deste único
minuto.

Contrariando al chaparrón,
renuncia a bullir sus cuernos
Pan; y mi musa, también.

«En uno destos inviernos»,
me atrinca Matusalén,
«cambiaré de profesión.»

Algo de algo, con algo:
desdeñosa turgencia:
pensamiento impensado
– para atronarme, calla –.

Mi chimpancé, piadoso: «¿Gimoteas?»
«¿Cuándo tu ceremonia?», la basáltica
moldura de mi estante.
«Conveniente, acostarte», mi aceitera.
¿Divago? «Te deshaces.»

El desvaivén
suspende
sus botines
– las hélices
de mi visita al ser –:
«Tu límite.»

El carruaje ligero de la noche . . .
Me ayudan
a vestirme.
Listo,
por fin,
de pie,
no me atrevo a salir.

Debe de ondear la acera
en abusiva gelatina. Temo
asomarme a la puerta:
puede verme
el cochero y llamarme.
La criada, en su reino:
«Churumbel, no se atrase.»

¿Libertad?
Ascender
hasta el asiento blando,
dejándome llevar . . .
Las calles agasajan
garapiñosas víboras.
¿Moradas

o desperdicios? Unta
la niebla los umbrales.
Los caballos
avanzan
como si no pisaran.
Y me quedo dormido:
con abandonos de pestañas gruesas,

enlutados,
los astros me reciben:
el carruaje ligero de la noche . . .
Me ayudan
a vestirme.
Listo,
por fin,

de pie,
no me atrevo a salir.
Debe de ondear la acera
en abusiva gelatina. Temo
asomarme a la puerta:
puede verme
el cochero y llamarme.

La criada, en su reino:
«Churumbel, no se atrase.»
¿Libertad?
Ascender
hasta el asiento blando,
dejándome llevar . . .
Las calles agasajan

garapiñosas víboras.
¿Moradas
o desperdicios? Unta
la niebla los umbrales.
Los caballos
avanzan
como si no pisaran.

Y me quedo dormido:
con abandonos de pestañas gruesas,
enlutados,
los astros me reciben.

De camarada a camarada, cuerpo,
te he pedido. Me has dado.
Pídeme. Anhelo darte
mi riqueza: los verbos del silencio:
sus hálitos
empiezan a habitarme.

¿Te subleva,
restricta disyuntiva,
sacrificar tu esencia?

Ea,
línea, terminas
– ¿no lo aceptas? –
en esta intrusa línea.

COLOFÓN

Un solo volumen para caja y alma.
Suprimir las tapas.
Añadir dos hojas,
en blanco, al principio. ¡Casi no cortar!
Añadir dos hojas,
en blanco, al final.

ÍNDICE

FASTIGIO

I 9

ATMÓS

II   Naturaleza muerta   13
III   Desván   14
IV   *Subí al tablado a aposentar guanacos*   15
V   *¿Dársena? Comedimiento*   16
VI   *«Cuando por la obligada soledad*   17
VII   *Por un resquicio exiguo*   18
VIII   *Forastero crepúsculo, mi cuarto*   19
IX   *Singular temporal, rincón colmado*   20
X   *Persistes*   21
XI   La prestísima   22
XII   *Trizalejo, trizalejo*   23
XIII   *Es la hora en que extiendo los míos a mi lado*   26

SARCASMO

XIV   *Ávoej*   31
XV   *Me pinto*   32
XVI   *Nobiliario arestín*   33
XVII   *«Acomodándose a su lodazal*   34
XVIII   *El áspid cacoquimio*   35
XIX   *Como la enormidad – triquiñuela del sueño*   36
XX   Apostolado   37
XXI   *«Incapaz*   38
XXII   *«Mantuve, nueve*   39
XXIII   *La mariposa, con ajuar agraz*   41
XXIV   *Una lombriz*   42
XXV   *Ultrajado*   43
XXVI   *Cuca, en la esquina*   44
XXVII   *«Admito mi orfandad*   45
XXVIII   Nihilismo   46
XXIX   Entreparéntesis   47

XXX	«Mi tienda de sortijas	48
XXXI	(Te ha remplazado, faz	49
XXXII	Un nenúfar musgaño	50
XXXIII	Láser	51
XXXIV	¿Dónde los sesos para mi combate	52
XXXV	¡Cordilleras leopardas	53
XXXVI	Odinosea	54
XXXVII	– Has procedido bien	55
XXXVIII	Monumental eccema	56
XXXIX	Miau	57
XL	Angostura	58
XLI	Euforia	59
XLII	– Férreas, las vías	60
XLIII	Carreras. Dinosaurios	61
XLIV	Cefrado	62
XLV	Cristojesús, sereno	63
XLVI	Graduado	64
XLVII	Migajas de certeza	65
XLVIII	Irrebatible	66
XLIX	El talismán	67
L	¿Cuándo	68

CONTINUO ÉXTASIS

LI	El bramido	71
LII	Vaso de abrojos	72
LIII	En la orilla	73
LIV	Chispa: vértigo	74
LV	Mesiánico	75
LVI	Actividad: eutimia. Me contentas	76
LVII	Legajo	77
LVIII	Esa frase	78
LIX	Atrofiado, un taled	79
LX	Nómadas, las conciencias	80

DESACATO A VIVALDI

LXI 83

EN LAS LAVAS SENSUALES

LXII	*A través del viscoso aburrimiento*	87
LXIII	*Carpiéndonos – morral*	88
LXIV	*La genilla de tu mampara*	89
LXV	*Me imito*	90
LXVI	*– La buhardilla*	91
LXVII	*¿Granjearemos*	92
LXVIII	*Vespertino, en el bufete*	93
LXIX	*Con una binza de menta*	94
LXX	*Tú: chacoteo con faunos*	95
LXXI	*Oh nupcial adoquín*	96
LXXII	*Un arduo*	97
LXXIII	*Providencia*	99
LXXIV	*Mis zunchos*	100
LXXV	*Las proas*	101
LXXVI	*Te seduzco*	102
LXXVII	*En mi pecho*	103

FORTALEZA

LXXVIII	*El cuento empezó en Echaurren*	107
LXXIX	*¿Ajetreo*	108
LXXX	*Rayos*	109
LXXXI	*Mis únicos albedríos*	110
LXXXII	*Entrañar, o carótida, o lactumen*	111
LXXXIII	*Una columna como cualquier*	112
LXXXIV	Hernán	113
LXXXV	*«Sublime Antología*	114
LXXXVI	*Zurcidos*	115
LXXXVII	*Imprimo en el éter*	116
LXXXVIII	*Concibo una avalancha*	117

LXXXIX	Alfa	118
XC	*Baluarte sólido, rendija*	119
XCI	Uzielín	120
XCII	*Abrupto*	122
XCIII	*Emanuel de tierra*	123
XCIV	*Mientras digiero física*	124
XCV	*Ponderando*	125
XCVI	*Cerniendo versos*	126
XCVII	*Cabal*	127
XCVIII	*Ni buzón*	128
XCIX	*Gris*	129
C	*Los versos que decías y no dices*	130
CI	Dermis	131
CII	*Diamantino*	132
CIII	*Armonizarme*	133
CIV	Hermana mía	134
CV	Epicandor	135
CVI	Soberbia	136
CVII	*Oh padres míos*	137

¿CIVILIZACIÓN?

CVIII	. . . .	141

OASIS

CIX	*¡Vastedad de lo*	145
CX	*Remolino: confín*	146
CXI	*La abnegación*	147
CXII	*Mi lógica de grillo*	148
CXIII	*¿Por cubiles, serruchos*	149
CXIV	*La aguja de la aguja de la torre*	150
CXV	*Cogí miserias y otras tonterías*	151
CXVI	*Compartir las favilas*	152
CXVII	*Oportuno*	153
CXVIII	*Te hallé*	154
CXIX	*Los embelesos*	155

TECLA

CXX	Pospostrimería	159
CXXI	*– Padrepadre, no aquí, ni yo tampoco*	160
CXXII	Lo absoluto	161
CXXIII	A la nada	162
CXXIV	*En la ofensa jovial de la acechanza*	163
CXXV	*Carrusel*	164

BALADAS DE LA VEJEZ

CXXVI	Tajo	167
CXXVII	*Una palabra ruega*	168
CXXVIII	*Paseo*	169
CXXIX	*Farándula*	170
CXXX	*Emplastos*	171
CXXXI	*Una larva*	172
CXXXII	*Tesón: tambor*	173
CXXXIII	*Difícil*	174
CXXXIV	*Adelántate a* aquello	175
CXXXV	*«Trujamán*	176
CXXXVI	*Las liendres bellaquean*	177
CXXXVII	*Didascálicas*	178
CXXXVIII	*Taimadas*	179
CXXXIX	*El abuelo materno del padre del abuelo*	180
CXL	*Berreo*	181
CXLI	*Septicemia o corcheas*	182
CXLII	*La carne, otrora, por mía*	183
CXLIII	*Ayer, quizá, cumplí seicientosnueve*	184
CXLIV	*«Aledañismo*	185
CXLV	*Imbécil*	186
CXLVI	*Con el bolígrafo del pasado*	187
CXLVII	*Un tercero roe*	188
CXLVIII	*Impío hervor bendito*	189
CXLIX	*Organizar mis restos*	190
CL	*– Mi persona, de sobra*	191

CLI	*Alfeñique*	192
CLII	*Rasguños*	193
CLIII	*Folletín*	194
CLIV	*Canutero*	195
CLV	*La hamaca, descuajaringada*	196
CLVI	*Discrepancia: denuedo*	197
CLVII	*Esquivar*	198
CLVIII	*Me he esperado en el fuego*	199
CLIX	*Ineludible crac*	200
CLX	*Por azar*	201
CLXI	*Táctica: vil rocío*	202
CLXII	*(Recesión*	203
CLXIII	*Umbilical*	204
CLXIV	*Alevosía*	205
CLXV	Mentencéfalo	206
CLXVI	*A sabiendas*	207
CLXVII	*Sencilleces*	208
CLXVIII	*Del turbión*	210
CLXIX	*Escueto forjador*	212
CLXX	*Perpetua primavera*	213
CLXXI	*Incienso*	214
CLXXII	*Labilidad*	215
CLXXIII	*Déspota, la oblea*	216
CLXXIV	*Aspecto*	217
CLXXV	*Contrariando al chaparrón*	218
CLXXVI	*Algo de algo, con algo*	219
CLXXVII	*El carruaje ligero de la noche*	220
CLXXVIII	*De camarada a camarada, cuerpo*	223
CLXXIX	*¿Te subleva*	224

COLOFÓN

CLXXX	. . . .	227

ESTE LIBRO HA SIDO POSIBLE POR EL TRABAJO DE

COMITÉ EDITORIAL Silvia Aguilera, Mario Garcés, Luis Alberto Mansilla, Tomás Moulian, Naín Nómez, Jorge Guzmán, Julio Pinto, Paulo Slachevsky, Hernán Soto, José Leandro Urbina, Verónica Zondek, Ximena Valdés, Santiago Santa Cruz **EN LA EDICIÓN** Florencia Velasco **PRODUCCIÓN EDITORIAL** Guillermo Bustamante **PROYECTOS** Ignacio Aguilera **DISEÑO Y DIAGRAMACIÓN EDITORIAL** Alejandro Millapan, Leonardo Flores **CORRECCIÓN DE PRUEBAS** Raúl Cáceres **DISTRIBUCIÓN** Nikos Matsiordas **COMUNIDAD DE LECTORES** Francisco Miranda, Marcelo Reyes **VENTAS** Elba Blamey, Luis Fre, Marcelo Melo, Olga Herrera **BODEGA** Francisco Cerda, Pedro Morales, Carlos Villarroel **LIBRERÍAS** Nora Carreño, Ernesto Córdova **COMERCIAL GRÁFICA LOM** Juan Aguilera, Danilo Ramírez, Inés Altamirano, Eduardo Yáñez **SERVICIO AL CLIENTE** Elizardo Aguilera, José Lizana, Ingrid Rivas **DISEÑO Y DIAGRAMACIÓN COMPUTACIONAL** Nacor Quiñones, Luis Ugalde, Jessica Ibaceta **SECRETARIA COMERCIAL** Elioska Molina **PRODUCCIÓN IMPRENTA** Carlos Aguilera, Gabriel Muñoz **SECRETARIA IMPRENTA** Jasmín Alfaro **IMPRESIÓN DIGITAL** William Tobar **IMPRESIÓN OFFSET** Rodrigo Véliz **ENCUADERNACIÓN** Ana Escudero, Andrés Rivera, Edith Zapata, Pedro Villagra, Eduardo Tobar **DESPACHO** Matías Sepúlveda **MANTENCIÓN** Jaime Arel **ADMINISTRACIÓN** Mirtha Ávila, Alejandra Bustos, Andrea Veas, César Delgado.

LOM EDICIONES